£ 0,50

De mensen die weggingen

Nicci French

De mensen die weggingen

Vertaald door Molly van Gelder
en Eelco Vijzelaar

Anthos|Amsterdam

ISBN 90 414 0595 X
© 2003 Joined-Up Writing
© 2003 Nederlandse vertaling Ambo|Anthos *uitgevers*,
Amsterdam, Molly van Gelder en Eelco Vijzelaar
Oorspronkelijke titel *The People Who Went Away*
Omslagontwerp Studio Jan de Boer BNO
Omslagillustratie Isolde Ohlbaum

Verspreiding voor België:
Veen Bosch & Keuning uitgevers n.v., Wommelgem

Ik heet Joey, maar mijn hele naam is Josephine Susan Weedon. Ik ben acht jaar en drie maanden en ik heb een vader, een moeder, een broer en een zus, en twee katten, Minnie en Pippin, maar Minnie is weggelopen. Minnie en Pippin zijn broertjes en ze zijn nu een jaar en zeven maanden. We kregen ze toen ze nog piepklein waren. Ik kwam een keer naar beneden om te ontbijten en papa zei: 'Ik heb een verrassing.' 'Wat dan?' vroeg ik. Hij bracht me naar de hoek van de keuken en daar stond een kartonnen doos met een handdoek erover. Hij haalde die weg en er zaten twee kleine, schattige poesjes in. Iemand die heel ergens anders in Engeland woonde had ze aan papa gegeven en hij had ze in zijn vrachtwagen meegenomen. Hij zei dat ik ze mocht houden. Ik heb ze zelf een naam gegeven. Minnie, de zwarte met witte plekjes, omdat hij zo klein was. En Pippin, de zwarte zonder witte plekjes, omdat ik dat gewoon verzonnen heb.

De poesjes waren in het begin zo klein dat ze samen in een schoenendoos sliepen, dicht tegen elkaar aan. Minnie was heel stout en Pippin heel verlegen. Minnie klom altijd in papa's broek en dan schreeuwde die omdat hij zijn nagels in papa's been had gezet. Minnie durfde ook meer. Ze mochten niet naar buiten omdat ze nog geen prik hadden gehad, maar Minnie wilde altijd weg. Hij sprong op de vensterbank en keek naar buiten zoals een hond doet. Toen ze een prik hadden gehad, lieten we ze in de tuin en toen is Minnie weggelopen en nooit meer teruggekomen. Papa maakte een poster met een foto van Minnie erop en plakte die op lantaarnpalen en hekken in de buurt. Soms belden er mensen op over Minnie, omdat ze dachten dat ze hem hadden gezien. Maar we hebben hem niet gevonden. Papa zei dat hij het vast heel leuk heeft waar hij nu is. Ik heb maar heel even gehuild.

Pippin is niet weggelopen. Soms slaapt hij 's nachts op mijn bed. Ik werd een keer wakker, omdat hij op mijn keel lag. Nu hij groot is geworden lijkt hij precies op een zwarte panter, maar dan kleiner. Hij jaagt ook als een panter. Hij vangt muizen, ratten, eekhoorns en vogels. Soms brengt hij ze naar mijn slaapkamer en legt ze naast mijn bed neer. Soms eet hij ze ook op. Als hij een muis of een rat opeet, begint hij met hun kop. Ik lag een keer in bed en toen hoorde ik een geluid alsof er steentjes rammelden. Ik begon te roepen en papa kwam en deed het licht aan en daar zat Pippin de kop van een rat te eten. Papa haalde de rat weg en ik aaide Pippin en zei tegen hem dat hij een heel knappe poes was, maar ook een heel stoute poes. Papa kwam terug met een emmer water, omdat er troep op het tapijt lag. Hij veegde het weg en toen gooide hij de emmer leeg in de wc. Daarna kwam hij weer terug en deed het licht uit en ging naast me op bed liggen. Als hij op mijn bed ligt, is hij zo zwaar dat het hele bed inzakt. Toen ik nog klein was, dacht ik altijd dat het bed door de grond zou zakken. Een andere keer kwam Pippin met een vogeltje aanzetten dat nog leefde. Maar het was halfdood en papa moest het naar buiten brengen in een plastic zak en tegen de muur slaan.

Papa heeft een vrachtwagen waar hij overal mee naartoe rijdt. Als iemand ergens iets heeft staan en hij wil dat ergens anders hebben, bellen ze papa op en dan rijdt hij erheen, ze geven hem geld en hij zet het ding in de vrachtwagen en brengt het ergens anders heen. Dus hij rijdt de hele tijd voor zijn werk. Hij vroeg me een keer of ik wist waar hij aan dacht als hij midden in de nacht aan het rijden was. Nee, zei ik, en toen zei hij dat hij aan zijn Joey dacht. En mama en Stevie en Ali dan? vroeg ik. Maar ik was echt heel blij. Soms, als hij midden in de nacht thuiskomt of als hij iets heeft gedaan, zoals die rat weghalen, gaat hij in het donker op mijn bed liggen en dan streelt hij mijn haar en ik ruik de zeep op zijn huid en dan vertelt hij verhalen. Sprookjes. Hij verzint ze zelf, zegt hij, maar eentje was een tekenfilm die ik had gezien.

Mama voelt zich niet zo lekker. Ik weet niet wanneer ze ziek is geworden. Ik kan me niet herinneren dat ze zich ooit goed heeft gevoeld. Meestal ligt ze in bed, soms met haar ogen open, maar ook wel dicht. Ik dacht een keer dat ze dood was. Ik schudde haar steeds door elkaar, maar ze werd niet wakker, dus ik gilde zo hard als ik kon en rende weg om Ali te halen, maar die stuurde me met vijftig pence naar de snoepwinkel en zei dat het allemaal goed kwam. Toen ik later terugkwam met kersenlimonade en een toverbal, zat mama rechtop in bed en ze zei dat ze die dag gewoon veel moest uitrusten en ze gaf me een dikke knuffel. Maar ze rook raar en haar gezicht had een andere kleur dan anders.

Als ik van school thuiskom ren ik naar boven en ga ik aan het voeteneind van mama's bed zitten en dan vertel ik hoe het die dag was, want Tess zegt dat ze dat ook bij haar mama doet. Ik vertel over dictee en wat we in de middagpauze hebben gegeten en met wie ik in het speelkwartier heb gespeeld. Ik speel natuurlijk altijd met Tess, want dat is m'n beste vriendin. Ik vertel over de liedjes die we hebben geleerd en dat Rick een keer vieze woorden aan de onderkant van de tafel had geschreven en daar ook kauwgom had geplakt, zodat hij van de juf moest nablijven. Maar ik vertel mama dus niet dat Benjy me met mijn hoofd tegen de muur had geslagen, omdat ik per ongeluk zijn boeken in de modder had laten vallen. Of dat juf Dawes heel boos op me was, omdat ik weer mijn huiswerk niet had gedaan, net zolang tot ik ging huilen. Ik probeerde niet te huilen, omdat je anders op het schoolplein wordt uitgescholden voor trutje, of zoiets.

Soms als ik mama vertel hoe het die dag was, glimlacht ze en strijkt ze door mijn haar en vraagt dingen aan me. Maar soms ligt ze daar maar en hoort me niet. Alsof ze er niet is. Er brandt wel licht, maar er is niemand thuis. Zo zegt papa dat. Ze knapt wel op van haar medicijnen. Dan glimlacht ze en lacht hardop en zegt dat ik haar kindje ben, we eten samen chips en dan vindt ze het niet erg dat er scherpe stukjes onder de lakens komen.

Op een avond, toen papa me over mijn wang aaide om me in slaap te krijgen omdat ik nare dromen had, al weet ik niet meer wat voor, vroeg ik wat mama nou had en hij zei dat ze gewoon een beetje ziek was. Wordt ze weer beter? vroeg ik. Dat wist hij niet, zei hij. Haar lichaam was niet echt ziek, maar het zat in haar hoofd, zei hij, en soms waren mensen zelf hun ergste vijand.

Ik denk dat mama verdrietig is. Toen ik dat tegen papa zei, moest hij lachen en hij knuffelde me en zei dat ik haar dan maar gelukkig moest maken. Dus dat probeer ik. Soms denk ik dat als ik haar gelukkig maak, ze weer beter wordt en me van school komt halen, net als de andere moeders. Ik ga altijd alleen naar huis. Dat vind ik niet erg. Meestal ga ik door het steegje, omdat dat veel korter is en omdat er een heleboel katten rondlopen, en ik hoop dan dat ik Minnie zie, maar dat gebeurt nooit. Soms is er wel een zwart poesje dat erg op hem lijkt, maar die heeft vier witte pootjes en Minnie maar twee. Ik mag niet op de lijnen lopen en ik moet mijn adem inhouden tussen de laatste lantaarnpaal en het eind van de steeg. Als ik dat doe is alles weer goed, er zijn scones met jam, mama is wakker, papa komt vroeg thuis, al die dingen. Soms neem ik de langere weg, omdat het een beetje eng is in dat steegje. Soms loopt een groep oudere jongens vlak achter me aan. Als ik sneller ga lopen, gaan zij ook sneller lopen. Als ik stil blijf staan, blijven zij ook stilstaan. Ali zag dat een keer toen ze vroeg thuiskwam en ze schold ze uit voor debielen, maar de volgende keer dat ze mij zagen deden ze het gewoon wéér.

We wonen in Banham Crescent, nummer 19. Ik vind ons huis leuk. Er zijn een heleboel geheime plekken in en sommige van die plekken ken ik alleen. Ik heb een eigen slaapkamer, boven op zolder. Je moet een steile trap op om er te komen en grote mensen moeten een beetje bukken, anders stoten ze hun hoofd. Papa heeft de kamer behangen, maar ik heb het behang uitgekozen. Het is blauw met overal vlinders en het past bij mijn blauwe dekbed. Mijn dekbed zit onder de kattenharen. Ali vindt dat vreselijk, maar ik vind het niet zo erg, omdat Pippin bij de familie hoort. Het is maar een klein kamertje, met schuine wanden en een raam in het plafond. Soms kan ik door het raam de maan zien. Onder mijn bed is een soort grote la, omdat er verder niet veel ruimte is voor mijn spullen. Als je die la helemaal uittrekt, zie je het eerste geheim: een luik en een opgerolde touwladder, waardoor je in Ali's kamer komt. Dat is voor als er brand is en ik mag er niet aankomen, maar dat heb ik toch gedaan en toen viel ik het laatste stukje, bijna bovenop Ali. Maar ze heeft niet geklikt.

Er is nog een ander geheim in mijn kamer, een echt geheim, omdat niemand dat verder weet: als ik mijn raam helemaal openduw kan ik op het platte dak klimmen en daar gaan zitten, zodat ik over alle tuinen kan uitkijken. Ik vind het een beetje eng, maar ook wel spannend. Ik heb het niet aan papa verteld en ook niet eens aan Tess. Een keer ben ik er gaan zitten met een boterham met pindakaas en mijn vijf mooiste Beanie Babies en toen hebben we naar alle mensen in hun tuin gekeken en verhalen over hen verzonnen. Ik voelde me net een spion. Ik zag papa naar de schuur lopen en ik moest een beetje giechelen, maar dat hield ik tegen door mijn adem in te houden en mijn buik stevig vast te pakken en tot twintig te tellen. Op een keer zat ik daar en toen zag ik een paar tuinen verderop een jongen over de muur klimmen en een grote steen door het raam gooien, met een hoop gerinkel. Maar ik heb niemand verteld wat ik had gezien, omdat ze dan wisten dat ik op het dak zat en ik dat voortaan niet meer zou mogen. Ik ben er ook een keer 's nachts geweest. Ik kon niet slapen en papa was nog niet thuis, dus toen ben ik in mijn pyjama naar buiten geklommen. Het was koud en ik had overal op mijn armen kippenvel. Ik was bang omdat alles in het donker er zo anders uitziet en elke keer dat de wind opstak, voelde ik mijn hart bonzen. Ik ben er niet zo lang gebleven.

Stevies slaapkamer is pikdonker en kaal, hij maakt nooit zijn bed op en overal slingeren kleren, maar papa zegt dat hij oud genoeg is om zelf zijn was te doen. Stevie heeft mazzel dat hij nog steeds zijn eigen kamer mag hebben, zegt hij, omdat hij nu immers werk heeft en geld verdient en er bijna nooit is. Ali's slaapkamer hangt vol met posters van popsterren. Ze zit heel vaak op haar kamer. Ik weet niet wat ze daar doet, behalve naar muziek luisteren. Ik weet dat ze soms zit te roken, want als ik in de tuin speel zie ik haar vaak uit het raam hangen en rook de lucht in blazen. Ik weet ook dat ze de sigaretten onder haar matras verstopt, omdat ik ze daar een keer heb gevonden, samen met een doosje pepermuntjes. Stevie rookt ook, maar hij doet het niet stiekem. Papa zegt dat het ontzettend stom van hem is, maar Stevie rookt gewoon door en zegt niks. Stevie zegt eigenlijk nooit wat. Papa zegt dat hij zijn tong heeft verloren, maar ik denk dat hij te veel nadenkt over dingen in zijn hoofd. Hij fronst altijd als papa hem iets vraagt, alsof hij geen tijd heeft om te antwoorden. Maar ik ben een kletskous. Op school praat ik niet zoveel, maar thuis praat ik de oren van zijn hoofd, zegt papa.

Op de overloop is een klerenkast en dat is weer een geheim: je kan er namelijk in kruipen, tot heel diep naar achteren, dus het is een fantastische schuilplaats, alleen wordt het er een beetje warm. Ik heb me daar een keer heel lang verstopt, alleen wist niemand dat ik me had verstopt en niemand merkte dat ik weg was, ze dachten waarschijnlijk dat ik in mijn kamer aan het spelen was of zo, dus toen ben ik er maar uit gekropen. Maar ik heb het aan niemand verteld, omdat ik wilde dat het mijn geheime plek was. Alleen heb ik het wel aan Pippin laten zien. Katten houden van warmte. Pippin gaat op plekken liggen waar de zon op schijnt en dan spint hij. Ik vind dat katten een leuk leven hebben. Als ik geen meisje was, zou ik een kat willen zijn en de hele dag in de zon liggen.

Verder is er nog de kamer van papa en mama, die ruikt anders en er staat een hele grote kast met spiegels in de deuren als je ze opendoet. Aan de ene kant hangen papa's kleren en aan de andere kant die van mama. Mama heeft mooie kleren en ik vind dat ze die soms moet aantrekken, omdat ze zich dan misschien beter voelt. Toen ze eens een keer niet op haar kamer lag, heb ik een roze glitterjurk aangetrokken en schoenen met hoge hakken aangedaan, die steeds in de zoom van de jurk bleven haken, en ik heb ook lippenstift opgedaan, maar die smeerde ik ook een beetje ernaast. Mama heeft het nooit geweten, maar papa kwam de kamer binnen toen ik voor de spiegel stond. Ik dacht dat ik op m'n kop zou krijgen, maar dat gebeurde niet. Hij staarde me aan en toen tilde hij me op zodat ik hem recht in zijn gezicht kon kijken en hij zei: wat heb ik een mooie dochter, en hij zoende me op mijn wangen. Hij heeft een prikkerig gezicht en soms doet het pijn als hij me een zoen geeft. Hij scheert zich bijna elke ochtend en dan kijk ik toe. Hij doet scheercrème op, zodat alleen zijn ogen en roze mond nog te zien zijn, en dan schraapt hij met zijn mes alles eraf en als hij klaar is kletst hij koud water tegen zijn gezicht en wrijft het droog met een handdoek. Daarna aai ik hem over zijn wangen omdat die zacht zijn en lekker ruiken.

Helemaal beneden is nog een kamer. Het is er vochtig en donker, ook als er licht brandt. Het raam is even hoog als de straat zodat je de benen van de voorbijgangers kan zien. Er woont nu niemand. Papa zet er dozen neer en dingen die stuk zijn, zoals de magnetron. Die gaf een harde knal en toen rook het naar brand. Ik vind het leuk om daar te zijn, want er is een groot bed waar ik op kan springen, ik kan van mijn voeten op mijn knieën springen en weer terug. Onder de gootsteen is een stuk hout dat je kan weghalen en dan zie je een heleboel pijpen en draden en plukjes pluis. De keuken is daar ook en een piepklein kamertje waar de televisie staat. Stevie en Ali hebben altijd ruzie over welk programma ze willen kijken.

De tuin is best groot. Er zijn stapstenen, bloemen en een boom en ik kan bijna tot halverwege in de boom klimmen en op een grote tak gaan liggen, en in de zomer, als hij vol bladeren zit, kan niemand me zien. Het gras aan het eind van de tuin, bij papa's schuur, is heel lang en sprieterig en ik ga erin liggen en kronkel erdoorheen als een slang. Ik maak paadjes met mijn lichaam tot ik bij het modderige, kale stuk aan het eind van de tuin ben, waar planken overheen zijn gelegd.

Soms wou ik dat Tess bij me kwam spelen, maar van papa mag dat pas als mama weer beter is. Ik speel met haar op straat en natuurlijk op school, maar thuis speel ik altijd in m'n eentje, want Ali is te oud. Ik heb elf Beanie Babies en twee poppen. Tess zegt dat ik te oud ben voor poppen, maar dat kan me niks schelen. En ook nog een teddybeer die ik van tante heb gekregen toen ik uit het ziekenhuis kwam. Hij heet Tabby en hij is helemaal dun geworden omdat ik hem zo veel heb geknuffeld. Ik heb drie puzzels, maar die zijn nu te makkelijk voor me, en een juwelendoosje waar muziek uit komt. Als je het deksel opendoet draait de danseres steeds rond. En ik heb een grote houten kist waar ik al mijn speciale verhalen en mijn mooiste tekeningen en geheime dingen in bewaar, zoals mijn sleutelhanger met een zaklantaarntje eraan en mijn porseleinen paardje, en de pinguïn en het glazen varkentje met vijf pence erin, die ik van papa heb gekregen. Ik heb de kist in de la onder mijn bed verstopt, omdat ik de enige ben die erin mag kijken, alleen Pippin mag dat natuurlijk ook.

Ali zegt dat je geen geheimen mag hebben, maar iedereen heeft geheimen. Zij heeft bijvoorbeeld haar sigaretten, waarvan ze denkt dat niemand het weet. Maar ik wed dat papa het wel weet, want hij zei een keer: 'Je kan voor mij niets geheim houden, Ali. Ik heb ogen in mijn achterhoofd.' Dat is niet echt zo, natuurlijk. Dat zeggen mensen gewoon.

Op een dag werd er aangebeld en ik deed open. Er stond een vrouw voor de deur. Ze was ouder dan mama, maar ze was niet zo oud als mijn oma die dood is. Ze had een heel bleek gezicht en ze was grijs onder haar ogen, dus ze leek wel een heks uit een sprookje. Ze vroeg of mama thuis was. Ik zei dat ze ziek in bed lag. Ze vroeg of ze met mama kon praten. Ik zei dat ze sliep. Mam slaapt bijna de hele tijd. Ze vroeg of papa thuis was. Ik zei dat hij even weg was en zo weer terug zou komen. Ze keek me vreemd aan, alsof ze ergens aan dacht. 'Ik zoek Cathy,' zei ze. 'Ken je Cathy?'

'Ja,' zei ik.

'Is ze hier?'

'Nee,' zei ik.

'Waar is ze dan?'

'Ze is weggegaan,' zei ik. 'Bent u de mama van Cathy?'

'Ja. Weet je wie dat is?'

'Tuurlijk,' zei ik.

Tuurlijk wist ik wie dat was. Soms komen er mensen bij ons in huis wonen. Mama zei dat het hier net een hotel was. Cathy woonde beneden. Ze hielp papa en mama een beetje en ze maakte schoon en speelde soms met mij. Soms kwam ze thuis en soms ging ze weg, en toen ging ze weg en kwam ze niet meer terug. Toen ze niet terugkwam, ging ik naar de achterkamer en speelde met haar spullen. Toen was mama niet zo ziek. Ze kwam binnen en zei dat ik niet met Cathy's spullen mocht spelen. De volgende dag – ik weet niet meer precies wanneer – ging ik naar de kamer en al haar spullen waren weg en mama zei dat Cathy ze had opgehaald.

Cathy's mama liep naar binnen en keek rond in de keuken, maar ze zei niets tegen me, dus ik ging Pippin zoeken en bracht hem naar haar toe en vertelde haar over Pippin en Minnie. Toen papa thuiskwam, stuurde hij me de keuken uit en ik ging naar mijn kamer. Ik keek uit het raam. In het huis aan de overkant woont een vrouw die de hele dag voor het raam zit. Papa zegt dat ze gek is. Soms zwaait ze naar me en dan zwaai ik terug. Ik zwaaide naar Cathy's moeder toen ze wegging, maar ze zag me niet.

Ik vind Tess een beetje zielig. Eén of twee keer in de week gaan we naar haar huis om te spelen. We spelen met haar speelgoed of we doen verstoppertje binnen of tikkertje, of anders gaan we de tuin in en spelen met haar konijn en haar cavia. Die zitten samen in een hok en Tess zegt dat ze dol op elkaar zijn. Het konijn heet Peter, net als Peter Rabbit, en hij heeft een heel zachte vacht en we aaien hem. We aaien hem en dan gaat hij rondrennen en dan komt hij terug en aaien we hem weer, en dan gaat hij weer rondrennen. De cavia heet Piggy, stomme naam, vind ik. Piggy is schuw en vindt het niet leuk om geaaid te worden, alleen maar soms. Als we dichtbij komen, rent hij gauw het hok in. Wat zo grappig is aan Piggy, is dat hij niet piept als een muis of een hamster. Piggy tjilpt als een vogeltje. Toen ik dat voor het eerst hoorde, kon ik mijn oren niet geloven, maar hij doet allerlei verschillende tjilpjes. Als je een cavia hebt, lijkt het wel of je tien verschillende vogeltjes hebt.

Soms blijf ik bij Tess eten. We eten gebakken aardappels of witte bonen in tomatensaus of vissticks. Als ik thuis eet kookt Ali voor me, en als ze er niet is kan ik alles eten wat ik maar wil: cornflakes of een reep chocola of zo. Als de vader van Tess thuiskomt gaat hij tv kijken. Tess gooide een keer een raam stuk met een bal, maar haar vader kon het niet repa-

reren. Haar vader en moeder schreeuwden tegen elkaar en toen belde haar moeder iemand die het kwam
maken. Ze hielden een hele week haar zakgeld in om
het te betalen. Mijn vader kan alles maken en dat is
niet eens zijn werk. Hij heeft ook ramen gemaakt. Hij
mengde met een lollystokje een soort spul dat eruit-
zag als kauwgom en daar zette hij de ruit mee in. Hij
heeft ook een muur in de tuin gemaakt.

De vrouw kwam terug. Die moeder van Cathy. Ze
had een andere vrouw bij zich. Cathy's moeder praatte gewoon tegen mij en papa praatte met de andere
vrouw. 'Is Cathy niet naar huis gegaan?' vroeg ik. De
vrouw zei van niet. Ze konden haar niet vinden. Ze
was verdwenen. Ze vroeg of ik nog iets meer wist van
Cathy.

Ik wist nog een heleboel. Ik wist nog hoe ze rook.
Ze waste zich zo vaak dat ze de hele tijd naar parfum
rook. Haar ene oog keek een beetje anders dan haar
andere. Ze had een bezorgd gezicht. Ze had grote
zware schoenen, echt cool, die stampten op de grond.
Ze was de enige die Pippin mocht oppakken, behalve
ik. Als ik de badkamer binnenkwam en zij in bad zat,
moest ik weg van haar. Een heleboel dingen. Ik probeerde te verzinnen waar ze was.

'Ik weet het niet,' zei ik tegen Cathy's moeder.

Ze vroeg of ik nog wist wanneer ik haar voor het

laatst had gezien. Dat wist ik niet. Ze had geen dag gezegd. Ze zei nooit dag. Ze kwam en ze ging. Als papa thuiskwam, zei hij dat ze geen dingen aan me mocht vragen en hij zei dat ik moest kijken hoe het met Pippin was.

Toen papa mijn kamer binnenkwam vroeg ik waar Cathy was. Dat wist hij niet, zei hij.

'Is ze weggegaan?'

Hij klonk een beetje boos toen hij antwoordde.

'Natuurlijk. Wat denk jij nou!'

'Maar waar naartoe dan?'

'Hoe moet ik dat nou weten?'

Een andere keer, toen papa weg was, kwam Ali naar mijn kamer toen ik in bed lag. Het is raar, maar als Ali naar mijn kamer komt, klopt ze aan, alsof de kamer mijn huis is en ze op de voordeur klopt. Dus als ik er ben zeg ik: binnen, en dan komt ze binnen. Ze ging aan het voeteneind zitten. Pippin lag daar ook en ze aaide hem over zijn kop en Pippin spinde heel zachtjes, zoals hij altijd doet, het klinkt alsof het van heel diep uit zijn buik komt. Toen ging ze mij over m'n haar aaien in plaats van Pippin. Hij werd jaloers en begon kopjes te geven tegen Ali's arm, dus toen moest ze hém weer gaan aaien. Ze vroeg of het goed met me ging. Ja, zei ik. Ik vroeg of ze wist waar papa was.

'Weg. Ergens aan het rijden.'

'Hoe is het met mama?'

'Die ligt in bed.'

'Wordt ze weer beter?'

'Ik denk niet dat ze echt ziek is,' zei Ali.

'Is ze moe?'

Ali zei niets. Ze stond op. Ik dacht dat ze wegging, maar ze deed de deur dicht en kwam weer op bed zitten.

'Je hebt met die vrouw gepraat,' zei ze.

'Cathy's moeder.'

'Ja.'

'Cathy was lief. Je kon met haar lachen.'

'Ja.'

'Waarom kunnen ze haar niet vinden?'

'Heb je dat aan papa gevraagd?'

'Ja.'

'En wat zei hij?'

'Hij zei: "Hoe moet ik dat nou weten?" Hij was boos.'

Plotseling leunde Ali naar voren en sloeg haar armen om me heen. Ze hield me zo stevig vast dat ik niet kon ademen en ze ging bijna op Pippin zitten.

'Au.'

'Sorry,' zei ze. 'Gaat het wel, Joey?'

'Tuurlijk.'

Ze keek me van heel dichtbij aan.

'Echt waar? Er gebeuren geen vervelende dingen?'

'Wat?'

'Geen rare dingen?'

'Nee.'

Ik keek naar Ali. Ze beet op haar lip zoals mensen doen als ze iets spannends gaan doen, van de hoge springen of zo.

'Ken je tante Sal?'

'Tuurlijk.'

'Je vindt haar heel lief, toch?'

'Tuurlijk.'

'Hoe zou je het vinden als je bij haar ging wonen?'

'Waarom?'

'Zomaar.'

'Dat wil ik niet.'

Ali stak haar vinger naar me uit en toen ging ze met haar vinger naar mijn gezicht en drukte op het puntje van mijn neus.

'Piep,' zei ze, en ik lachte en toen zag ik dat ze een beetje huilde. 'Ik hou van je, Joey,' zei ze. 'Hou je ook van mij?'

'Tuurlijk.'

'Ik heb geprobeerd om je te helpen,' zei ze. 'Ik heb geprobeerd... om ertussen te komen.'

'Waarom?'

'Maar ik denk dat je het wel redt. Hij is dol op je. Je bent speciaal voor hem.'

Alison boog zich voorover en gaf me een zoen op mijn voorhoofd, zoals mama altijd deed.

'Je gaat me toch niet vergeten, hè?' zei ze. 'Nooit niet?'

Toen ging ze de kamer uit.

Soms als papa 's avonds mijn kamer binnenkwam was hij buiten adem, alsof mijn kamer bovenop een berg lag en hij het hele eind naar de top was gerend. Dan ging hij niet gewoon op mijn bed liggen. Hij ging bij het raam staan en keek naar buiten en z'n gezicht zag geel in het straatlicht. Hij bleef net zolang staan tot hij niet meer hijgde. Dan liep hij de kamer rond en kwam helemaal niet in de buurt van mijn bed, alsof mijn bed onder stroom stond. De volgende keer dat hij binnenkwam, bleef hij heel lang voor het raam staan.

'Ik wil niet weg,' zei ik.

Hij draaide zich om. Door het licht op straat kon ik zijn gezicht niet zien. Alleen een zwarte vlek. Ik dacht dat hij misschien kwaad of verdrietig zou worden, maar zijn stem klonk heel zacht, net als wanneer hij in mijn oor fluisterde, want dat deed hij soms om te zeggen dat hij van me hield.

'Waarom zou je weggaan?'

'Kweenie.'

'Heeft iemand je dingen zitten vertellen?'

Ik zei niets. Ik hoorde zijn voetstappen en voelde dat hij in het donker op het bed ging liggen. Ik voelde dat hij mijn haar streelde en hoorde zijn zachte stem.

'Wie dan?'

'Ali.'

'Wat zei ze dan?'

'Ze zei dat ik misschien beter bij tante Sal kon gaan wonen. Maar dat wil ik niet.'

Ik voelde zijn adem op mijn gezicht, voelde dat hij me zoende.

'Jij bent mijn kleine meisje, Joey. Ik laat je niet gaan.'

Ik zoende hem terug. Hij zei niets. Ik hoorde hem alleen maar ademen. Ik dacht dat hij misschien in slaap was gevallen.

Papa kwam me van school halen. Hij komt me nooit van school halen. Hij is altijd ver weg, in zijn vrachtwagen, en hij rijdt en hij rijdt. Soms droom ik tijdens de les op school een beetje weg en dan hoor ik nog wel wat er wordt gezegd, alleen lijkt het of het van heel ver komt. Mijn juf zegt dat ik op de planeet Zog ben, maar dat is niet zo, ik denk dan aan mijn papa, die hoog in zijn vrachtwagen over de weg rijdt, kilometers ver. Ik krijg er een beetje de bibbers van als ik eraan denk dat hij honderden kilometers ver weg is, waar alles er anders uitziet, en dat ik hier naar verhalen zit te luisteren en zwarte lijnen om landen trek, en over slotgrachten en vestingmuren leer.

Maar op die dag stond hij bij school toen ik de poort uitkwam. Eerst zag ik hem niet, omdat ik hem niet verwachtte, en toen toeterde hij en zwaaide. Hij stond geparkeerd op de zigzagstrepen waar je niet mag parkeren. Ik rende erheen en hij leunde naar voren en deed het portier voor me open en ik klom erin. Het is een hele klim, maar hij trok me bij m'n arm omhoog tot ik op de stoel naast hem zat. Er zijn drie stoelen voorin, maar ik zit altijd op de middelste, naast papa.

Hij keek me een beetje raar aan. Zijn gezicht was knalrood en zijn ogen glansden. Maar hij gaf me een dikke zoen en zei: 'Hoe gaat het met mijn prinsesje?'

'Ik wil geen prinses zijn,' zei ik.

'Waarom niet?'

'Omdat ik liever bij jou en mama en Stevie en Ali wil wonen,' zei ik.

'Mensen kunnen niet altijd bij elkaar wonen,' zei hij. 'Mensen gaan weg.'

'Net als Cathy.'

'Precies.'

'Maar ik ga nooit weg,' zei ik. 'Ik wil altijd bij jou en mama wonen.'

Toen startte hij de vrachtwagen, maar hij reed niet meteen naar huis. We gingen naar een café waar ik alles mocht bestellen wat ik wilde, zei hij. Ik had niet zo'n honger, maar ik bestelde limonade en een stukje vruchtencake. Het was helemaal droog, alsof het heel oud was, dus dat lustte ik niet. Hij nam koffie, maar hij dronk het niet op. Hij roerde er alleen maar steeds meer suiker doorheen. We zaten daar maar en hij zei heel weinig, dus ik vroeg waar hij die dag had gereden. Overal en nergens, zei hij. Toen gingen we naar huis.

Mama lag in bed. Ik sloop naar binnen, maar ze lag met haar ogen halfopen en je zag alleen wit door de spleetjes, en haar mond was halfopen en haar medicijnen lagen op de grond, en ze maakte een nat, snuffelend geluid. Ze rook ook raar en er zat vuil in de plooien van haar hals. Ik ging naar beneden en vertelde het aan papa, en die zei dat ze een slechte dag had en dat ik haar met rust moest laten.

Ik ging naar mijn kamer en zat een tijdje op het bed en Pippin was er, dus ik krabbelde hem onder zijn kin en hij spon keihard en toen stond hij op en liep weg met zijn staart omhoog. Ik keek uit het raam en ik zag papa. Hij liep door de tuin naar de schuur en hij droeg iets, en toen kwam hij weer terug. Ik tikte op de ruit maar hij zag me niet. Ik trok mijn kist met geheimen onder het bed vandaan en deed hem open. Er zit een boek in waar ik dingen in opschrijf, maar ik wist niet wat ik moest schrijven, dus ik maakte maar een tekening van papa die in zijn vrachtwagen reed, en een heleboel kleine auto's en fietsen onder aan het papier. Hij leek heel hoog en alleen op de tekening, dus ik tekende mezelf erbij, op de stoel naast hem.

Ik liep naar beneden. Ik had honger en het was etenstijd, maar Ali maakt meestal eten voor me, zoals bonen op toast en gekookte eieren en broodjes. Maar ze was er niet en het werd al donker, maar papa was nog steeds buiten, hij was aan het graven in het modderige stuk aan het eind van de tuin. Ik ging naar buiten en bleef op het gras staan. Ons huis ziet er altijd heel gezellig uit als het donker wordt, vooral met het licht aan en de gordijnen dicht. Ik riep papa en hij kwam de schuur uit en vroeg wat er was.

'Ik heb honger,' zei ik.

'O,' zei hij. Het leek wel of hij een beetje in de war was, ik weet niet waarom. 'Wat wil je dan?'

'Ik weet het niet,' zei ik. 'Ali maakt het meestal.'

'Ik weet wat,' zei hij. Zullen we fish and chips halen?'

We halen nooit fish and chips, alleen soms in het weekend. Ik vind het heel lekker met veel zout en een beetje azijn en ketchup erop. De patatjes zijn dik en zacht en slap, heel anders dan de patat die ik bij Tess eet, want die is knapperig. En de vis is ook heel papperig. Ik kan het nooit helemaal op, maar ik vind het wel leuk om met m'n vingers uit de zak te eten.

Dus we gingen naar de fish and chips-winkel in Staines Road. Ik was moe, dus papa zette me op zijn schouders en ik hield me vast aan zijn haar. Op de terugweg moest ik lopen, omdat hij de fish and chips droeg, maar hij hield mijn hand stevig vast, dus ik voelde me wel veilig, ook al was het donker en waren er overal schaduwen en lag er een man in een portiek. Hij was ziek en hij zag er een beetje uit als mama, maar papa trok me met een boog om hem heen.

'Moet Ali niet eten?' vroeg ik toen we thuis waren en aan de keukentafel zaten met ons eten. 'Wil zij geen fish and chips?' Ik vroeg niet naar Stevie, want die komt altijd laat thuis, als ik al in bed lig. Ik hoor hem, omdat hij hard de trap op stampt. Stamp, stamp, stamp.

'Maak je geen zorgen over Ali,' zei hij. Hij trok een flesje bier open en dronk eruit en ik zag de bobbel in zijn keel op- en neergaan.

'Waar is ze dan?'

Papa gaf geen antwoord. Hij tilde me uit mijn stoel en zette me op schoot en streelde mijn haar, en ik leunde tegen hem aan.

'Joey,' zei hij.

'Ja?'

'Hou je van papa?'

'Tot aan de maan en terug,' zei ik, want dat zei ik altijd toen ik klein was.

'Dat is mooi,' zei hij. 'Want papa houdt van jou het meest van alles op de hele wereld.'

Boven hoorde ik een raar geluid, alsof er iemand steeds maar hoestte.

'Is dat mama?'

'Laat maar,' zei hij. Het vreselijke gehoest hield niet op.

'Wordt ze weer beter?' vroeg ik.

'Misschien.'

'Ze klinkt niet beter.'

Hij stopte drie patatjes in zijn mond en kauwde er langzaam op.

'Als je drie wensen mocht doen,' vroeg ik, 'wat zou je dan wensen? Ik zou wensen dat mama weer beter werd en dat Minnie weer terugkwam, maar ik weet niet wat ik nog meer zou wensen. Meer hoef ik niet, toch? Voor de rest wil ik gewoon dat alles hetzelfde blijft.'

Ik lag in bed en luisterde naar de geluiden beneden. Mama hoestte niet meer. Stevie was niet thuis. Ali ook niet. Het was doodstil. Toen kraakte de trap. Ik bleef heel stil liggen met Tabby in mijn armen en mijn ogen dicht, en ik deed alsof ik sliep.

'Joey?'

Het was papa. Hij ging op mijn bed zitten en streelde mijn haar.

'Vertel eens een verhaaltje.'

Maar hij vertelde geen verhaaltje, hij bleef maar steeds over mijn haar strelen en toen zei hij dat ik moest gaan slapen. Ik zei dat ik bang was.

'Waarom ben je bang, Joey?'

'Dat weet ik niet. Het is zo donker en het waait zo hard.'

'Je hoeft niet bang te zijn. Papa is bij je.'

Hij ging naast me op bed liggen, groot en warm als een beer in zijn hol. Na een tijdje voelde ik een soort gebrom als een machine en ik hoorde een snuffelend geluid. Ik wist niet wat het was, maar toen wist ik het ineens.

'Papa, waarom huil je?'

'Om Ali,' zei hij. 'Ze is weggegaan.'

'Waarom dan?' Ik wilde ook huilen, maar dat deed ik niet. De tranen bleven binnen.

'Ze wilde het huis uit. Ze was nu groot, zei ze. Ze is

31

weggegaan. Jij gaat toch nooit bij me weg, hè Joey?'

'Nee, nee.'

'Ook niet als je een groot meisje bent?'

'Nooit.'

Hij sloeg zijn grote armen om me heen en ik deed dat ook, maar ik kan nooit helemaal om hem heen, en we moesten allebei huilen en toen viel ik in slaap.

Later waren Stevie en papa aan het ruziemaken. Ik hoorde dat ze tegen elkaar schreeuwden. Of in ieder geval schreeuwde papa tegen Stevie. Hij zei dat er in zijn huis maar één de baas was, en als Stevie het hier niet beviel, dat hij dan maar moest ophoepelen, want niemand zou hem missen. Maar ik hoorde Stevie niet iets terugzeggen. Waarschijnlijk was hij aan het mompelen, dat doet hij altijd, zodat je niet zo goed kan verstaan wat hij zegt.

Het is niet waar dat niemand hem zou missen. Ik zou hem wel missen, omdat we hier altijd met z'n vijven hebben gewoond, dus zonder Ali en Stevie zijn we maar met z'n drietjes, en mama ligt de hele dag in bed. Het zou wel heel erg stil worden, alsof er de hele tijd iets weg was.

Er waren ook vrolijke dagen. Papa was niet zo vaak weg. Hij wou voor me zorgen, zei hij. Hij wou me niet uit het oog verliezen, zei hij. Alleen ging ik soms bij Tess spelen. De moeder van Tess vroeg altijd hoe het met mama was en dan zei ik dat het wel beter ging en dat ze gauw weer zou opknappen. Ze vroeg hoe het met Alison was en ik zei dat ze het huis uit was gegaan. Ze zei dat Alison erg jong was om het huis uit te gaan en ik zei dat ik Ali miste en dat ik soms, 's avonds in bed, om haar huilde en niet begreep waarom ze niet thuiskwam om voor me te zorgen. En dat ik nooit uit huis zou gaan, ook niet als ik groot was. De moeder van Tess moest lachen en ze zei: 'Ook niet als je getrouwd bent?' Ik zei dat ik nooit zou trouwen, maar als ik dat wel zou doen, dan kon ik thuis ook getrouwd zijn.

Op een keer belde Tess op om te zeggen dat haar konijn, Peter, dood was gegaan en of ik op de begrafenis wou komen. Ja, zei ik. Peter was een ontzettend stom konijn. Hij zat altijd buiten in z'n ren, ook als het regende. De vader van Tess zei dat het zo gegaan moest zijn: hij zat buiten in de regen en werd nat, en toen ging het waaien en werd hij koud, en 's ochtends lag hij dood naast zijn etensbakje. Tess had hem gevonden. Ze ging nog even naar hem toe voordat ze naar school ging, en toen zag ze hem daar liggen. Ze zag het wit van zijn buik. Ze had nooit geweten dat hij een wit buikje had. Ze raakte hem aan en hij was koud en hard als bevroren grond.

De vader van Tess groef een gat in hun tuin. Hij had Peter in een kartonnen doos gestopt en kranten over hem heen gelegd. Het gat was maar een klein beetje groter dan de doos, dus hij moest hard duwen om die erin te krijgen. Hij vulde het gat op met aarde en hij zei dat we allemaal even stil moesten zijn en aan Peter moesten denken. Ik dacht eraan dat als ik groot was of waar ik ook zou zijn, Peter voor altijd daar in de grond zou liggen, koud en alleen.

Op een keer toen ik een verhaal over Pippin schreef, ging mijn juf naast me zitten en las mee over mijn schouder. Ze rook naar bloemen. Toen ze het verhaal had gelezen, zei ze tegen me:

'Hoe oud is je zusje?'

'Weet ik niet,' zei ik. 'Best oud.'

Toen zei ze niets meer, maar ze bleef zitten alsof ze iets probeerde te verzinnen om te zeggen. Ik schreef gewoon door.

'Gaat het wel goed met je, Josephine?'

'Ja hoor, juf.'

'Als er iets aan de hand is, als er ook maar iets is waar je mee zit, kun je altijd bij me komen praten.'

'Hoezo?'

'Als je over dingen praat, worden ze minder erg.'

Dat zeggen grote mensen nou de hele tijd. Ze zeggen steeds: 'Gaat het goed met je?' Maar als ze dat vragen, verwachten ze dat jij 'Ja hoor, dank u' terugzegt.

In mijn hoofd kan ik mijn huis in alles veranderen. Het kan een oerwoud worden of een paleis of een oceaanschip. Deze keer was het een kasteel. Papa vertelde het sprookje van Doornroosje, maar dat kende ik al. Ze gaat een toren binnen waar ze nooit is geweest en daar zit een oude vrouw aan een spinnewiel en dan vraagt ze of ze mag helpen en als ze dat doet prikt ze in haar vinger en slaapt honderd jaar lang. Papa weet hoe een spinnewiel werkt en hij heeft een spinnewiel voor me getekend. Dus ik was Doornroosje en ik keek rond in het kasteel, en de toren waar ik nog nooit was geweest, was Ali's kamer. Ik liep naar haar kamer en haar cd-speler stond op de grond met een stapel cd's ernaast. Al haar flesjes stonden bij de spiegel. Ik deed een la open en haar onderbroekjes, sokken, panty's, T-shirts, beha's, alles was er nog. Ik deed haar klerenkast open en haar schoenen en jacks waren er allemaal.

Ik keek om en papa stond achter me. Ik zei dat ik speelde dat ik Doornroosje was. Hij tilde me op en zette me neer op Ali's bed en ging op z'n knieën voor me zitten.

'Wat heb je gezien?'

'Dit is de toren,' zei ik. 'In het kasteel.'

'Zeg het nou,' zei hij met hardere stem. 'Wat heb je gezien?'

'Ali's spulletjes.'

'Waarom zijn die hier, denk je?'

'Weet ik niet,' zei ik.

'Maar wat denk je?'

'Weet ik niet.'

'Misschien heeft ze ze vergeten,' zei hij.

Net als Cathy, wou ik zeggen, maar dat deed ik niet. Ik zei alleen ja, en hij keek me heel diep in mijn ogen. Toen pakte hij me op en hield me dicht tegen zich aan. Hij zei: 'Weet je van wie ik het meest hou op de hele wereld?'

'Van mij?' zei ik.

'Als alles donker is, als het allemaal niks is, denk ik aan mijn Joey,' zei hij.

'En dan ben je blij,' zei ik.

En toen droeg hij me de kamer uit.

Op een dag zat ik in de klas bij juf Dawes en mevrouw Siegel kwam binnen en nog een andere mevrouw, die jonger was. Mevrouw Siegel is de directrice. Ze keek naar me en toen fluisterde ze wat in juf Dawes haar oor. Juf Dawes keek naar me en die andere vrouw keek ook. Toen zei juf Siegel tegen de klas dat die andere mevrouw even op ze ging letten en dat ze een spelletje met ze ging doen. Ze liep naar me toe en zei met een lieve, vrolijke stem dat ik met haar en juf Dawes moest meekomen. Juf Dawes lachte ook. Het leek wel of ik jarig was. Ze pakten mijn hand vast en de hele klas staarde naar me. Ze begrepen niet wat er aan de hand was. Ze brachten me door een deur waar ik nog nooit binnen was gegaan, naar de kamer van de juffen en de meesters. We kwamen in een kantoor en daar zat een mevrouw met een grote, bruine trui aan en een politieman. De mevrouw had krullerig bruin haar, een beetje als een teddybeer, en zij lachte ook tegen me. Ze hurkte bij me neer, zodat ze even groot werd als ik.

'Hallo, Joey,' zei ze. 'Ik ben Susie. Ik ga een tijdje voor je zorgen. Ik hoop dat we vriendinnetjes worden. Goed?'

'Best,' zei ik.

Ze stond op en begon met juf Siegel en de politieman te praten. Toen ze met mij praatte deed ze dat met een kinderstemmetje, maar toen ze weer opstond, praatte ze weer als een groot mens. Ze praatte over mij alsof ik niet kon horen wat ze zei. Ze zei: 'Kunnen we haar spullen onderweg ophalen?'

'Is dat wel verstandig?' vroeg juf Siegel.

'Zij weet precies wat ze mee wil hebben,' zei Susie.

'Goed dan,' zei juf Siegel.

Juf Siegel sloeg haar armen om me heen en knuffelde me als een tante of een mama.

'Hou je taai, Joey,' zei ze.

'U moet een beetje huilen,' zei ik.

'Een beetje maar,' zei ze.

Mijn huis, dat was haast niet te geloven. Er waren daar wel vijftig mensen. Er hing een soort heel groot plastic doek voor, dus je kon het huis helemaal niet zien. Er stonden een heleboel mensen op de stoep die wilden kijken, maar er waren politieagenten en die lieten de mensen niet dichtbij komen. En er stonden ook vier busjes en een grote vrachtwagen en wel vijf politieauto's en wel twee politiebusjes en dan nog een vrachtwagen. Ik pakte Susies hand beet, en ze zorgde dat ik erdoor kwam. Door de hele straat hing er zo'n plastic lint met geel en zwart. Susie moest bukken om er onderdoor te komen, maar ik liep er gewoon onderdoor. Ik hoefde niet eens te bukken en ik raakte het niet met mijn hoofd aan. Ik keek om en lachte naar de mensen die er niet door mochten. Ze staarden me allemaal aan of ik een heel raar beest in de dierentuin was. Susie zei wat tegen een politieagent en die ging ook naar me staren en toen zei hij iets terug en toen zei zij weer iets terug en toen zei hij 'oké' en toen liep hij met ons naar het huis.

Eigenlijk hing er niet één vel plastic voor ons huis. Het waren er twee, net als twee gordijnen die iemand had dichtgetrokken, en we wurmden ons door de spleet daartussen. Binnen was het hartstikke vol met mensen en ze waren allemaal aan het bonken en aan het schrapen. In de gang had een man de planken uit de vloer getrokken en de planken stonden schuin tegen de muur aan. De vloer glom heel mooi, maar de onderkant van de planken was stoffig en vies. Ik keek in het gat en dat was echt cool. Ik wou dat Tess erbij was geweest. De planken waren er niet meer maar er waren dikke stukken hout waar de planken op hadden gezeten, en er waren gekleurde draden en ontzettend oude pijpen die wel honderd jaar oud leken en daaronder was er niks en dan kon je helemaal omlaag kijken, de kelder in. Er was een lamp aan en ik zag een man daarbeneden die stond te graven met een klein schepje. Ik keek boven op zijn kale kop.

Ik keek in de zitkamer en daar hadden ze gaten in de muur geslagen. Je zag dunne stukjes hout en brokjes steen en bakstenen in de muur en het leek wel of het stof had gesneeuwd. Dat lag overal op, de bank, de vloerbedekking, de tafel, de tv.

'Waar is papa?' vroeg ik.

'Die is er niet,' zei Susie.

'Hij zit zeker in z'n vrachtwagen,' zei ik.

'Nee, daar zit hij niet,' zei Susie.

'O,' zei ik. 'Ligt mammie in bed?'

'Die is er ook niet,' zei Susie.

'O.'

We liepen naar boven. Ik keek naar buiten. De tuin was helemaal vol. Ze hadden een graafmachine naar de achtertuin gehaald, door het gangetje achter de schuur. De tuinmuur was kapotgeslagen. En in ongeveer de halve tuin stond nu een witte tent. En er waren mannen, en het leek wel of ze allemaal een stuk tent hadden aangetrokken, wit plastic, en die kropen op de grond rond. Het graafding was aan het graven. Van het gras was niks meer over. Ik had heel vaak een gat in de grond gegraven, maar dat was gewoon grond. Het graafding had heel erg diep gegraven en daar was het eigenlijk geen grond meer. Het was een soort bruin modderig spul en het regende en er stond een plas water onder in de kuil.

Ze hadden mijn schuilplek in de klerenkast gevonden. Ze hadden de hele kast aan diggelen geslagen, dus er was helemaal geen schuilplek meer. Het stond helemaal open. Daar werd ik verdrietig van. Susie keek ook verdrietig. Ze kneep zachtjes in mijn hand. Toen gingen we naar mijn kamer. Ik zei tegen

Susie wat mijn kamer was en toen liepen we de trap op daarnaartoe. Een politieagent kwam achter ons aan met twee kartonnen dozen. Susie zei dat ik ergens anders ging logeren en ze zei dat ik mijn spulletjes mee mocht nemen. Ik heb zoiets als veertien boeken, dus die deed ik in een doos en de rest ook allemaal. Tabby, alle elf Beanie Babies, mijn geheime doosje, mijn ingelijste poster met de dolfijnen, mijn nachtlampje, mijn potje van porselein, mijn kat van porselein, mijn paard van porselein, mijn pinguïn, mijn foto van mij en een pasgeboren geitje in de dierentuin, mijn speeldoos, mijn spaarvarkentje, mijn varken van glas, mijn pop Jasmine, mijn poster met een hond erop, mijn gele fles, mijn kussen met een uil erop, mijn kleine mandje, de kleertjes van Jasmine, mijn andere pop, mijn klok, mijn oude pop van porselein en mijn xylofoon.

'Nog iets?' vroeg Susie.

'Tuurlijk.'

Ik wist waar hij zou zitten. Ik trok de schuifla onder mijn bed uit, omdat Pippin er vaak achter kruipt om zich te verstoppen als er veel mensen binnen zijn. Ik zei tegen Susie dat ik Pippin meenam, en ze keek bezorgd.

'Hij is mijn beste vriendje,' zei ik. 'En Tess is mijn beste vriendinnetje.'

Susie zocht een nog kleiner kartonnen doosje op en daar stopten we Pippin in. Hij vond het heel naar en hij wou er telkens weer uit klimmen. Toen we de vier kartonnen flappen van boven dichtdeden, probeerde hij zijn poot erdoorheen te duwen en die moest ik toen terugduwen. Toen we in de auto zaten, ging hij de hele tijd aan de binnenkant van de doos krabben en hij maakte een geluid dat hij nog nooit had gemaakt. Het klonk zo: *Mkgnau!* Hij krabde en hij krabde en ten slotte had hij een klein gaatje in de zijkant gemaakt en stak daardoor zijn poot naar buiten. Die duwde ik terug en toen stak hij zijn kop erdoor. Dus zo zat hij met zijn kop die door het karton heen stak. Susie moest stoppen met rijden en ze moest het karton stukscheuren om hem te redden, want hij zat helemaal vast. Zo'n hekel had hij aan rijden in een auto. Hij rende rond in de auto en gromde tegen de andere auto's buiten, maar wel met een stille grom. Hij maakte er geen geluid bij. Toen we wegreden, bleef hij maar rondrennen in de auto en één keer krabde hij me heel hard toen ik hem op mijn schoot wou zetten, maar dat vond ik niet zo erg want ik wist wel dat hij dat alleen maar deed omdat hij zo bang was.

'Waar gaan we heen?' vroeg ik.

'We gaan ergens heen waar we eens rustig kunnen praten,' zei Susie.

'Ben ik stout geweest?' vroeg ik, want rustig praten betekent dat je op je kop krijgt.

Ze draaide met een ruk haar hoofd naar me om en keek me heel raar aan, en toen pakte ze mijn hand, ook al was ze aan het sturen.

'Waarom vraag je dat?' vroeg ze.

'Komt papa nou gauw? Hij zal wel boos zijn over ons huis, echt hoor.'

'Nee,' zei ze.

Ze liet mijn hand los om de auto te laten stoppen en we stapten uit.

'En Pippin dan?' zei ik.

'Pippin kan wel eventjes in de auto blijven,' zei ze. Dat was geen goed idee. Pippin zou bang worden als ik er niet bij was. Ik pakte hem op en hield hem heel stevig vast zodat hij niet uit mijn armen zou springen en wegrennen.

We liepen een klein kamertje binnen met twee zachte stoelen en een tafel met een doos zakdoekjes erop en er hing een foto aan de muur van twee handen die elkaar schudden, en de ene hand was zwart en de andere hand was wit.

'Ga maar lekker zitten, Joey.'

Dus ik ging zitten en zakte weg in de kussens, en ik kon niet met mijn voeten bij de grond. Pippin maakt een raar mauwend geluidje en stond aan de deur te krabben.

'Papa zal zich wel zorgen maken over me,' zei ik.

'Joey,' zei Susie, en toen ging ze niet verder.

'Ja?'

'Joey, je krijgt nu een hele nieuwe familie.'

'O,' zei ik.

'Met een nieuwe mama en een nieuwe papa.'

'Je hebt maar één echte papa, dat zegt mijn papa altijd tegen me.'

'Dat zijn niet je echte mama en papa, bij wie je geboren bent. Maar ze gaan van je houden als een mama en papa, en voor je zorgen.'

'Waar zijn ze dan?'

'Ergens anders. Aan de andere kant van het land.'

'Wat? Met hooibergen en paarden en zo?'

'Nee. Ze wonen in de stad.'

'Papa zei dat wij samen zouden blijven, voor altijd en eeuwig, amen.'

'Soms moet er wel eens iets veranderen,' zei Susie. 'Dat moet gewoon, Joey. Je naam bijvoorbeeld.'

'Ik heet Joey. Josephine Susan Weedon.'

'Wil je niet 's een andere naam? Hoe zou je nou het liefst willen heten?'

'Bedoel je wat ik maar wil?'

'Ja.'

'Als ik geen Joey meer heet, hoe kan pappie me dan weer terugvinden?'

'Je gaat je papa een tijdje niet meer zien,' zei Susie en ze keek me recht aan en ik kon in allebei haar ogen mijn gezicht zien.

'O,' zei ik.

'En je mammie ook niet.'

'Mammie is vaak ziek,' zei ik. 'Maar ik denk dat ze wel beter wordt. Papa zegt dat ze haar eigen ergste vijand is. Gaat Ali dan ook anders heten?'

Susie pakte allebei mijn handen vast en kneep er stevig in. Het deed een beetje pijn.

'Ali is dood, Joey,' zei ze.

'Dood?' zei ik.

'Ja.'

'Net als Peter?' En toen herinnerde ik me dat Susie niet wist wie Peter was. 'Hij was Tess haar konijn,' zei ik. 'Tess is mijn beste vriendin. En haar konijn is doodgegaan en ik ben bij de begrafenis geweest. Tess zei dat Peter helemaal hard was geworden, net als hele koude grond. Ali kan niet zo dood wezen. Ze zal wel bij tante Sal zijn. Ze had gezegd dat ik naar tante Sal moest gaan en toen ging ze weg. Papa zegt dat mensen gewoon weggaan, soms, maar dat ik altijd bij hem moet blijven. Hij zegt dat hij heel alleen is zonder mij.'

'Ze is dood, Joey.'

Eindelijk liet ze mijn handen los.

'Net als bevroren grond?'

'Ze is dood en daarom kan ze niet terugkomen,' zei Susie.

Daar bleef ik een tijdje over na zitten denken.

'Jij kon er niks aan doen,' zei Susie.

'Aan doen?'

'Het is jouw schuld niet.'

'Ik kon er niks aan doen.'

'Nee, echt niet.'

Ik ving een geluidje op dat bij de deur vandaan kwam. Pippin stond nog steeds te miauwen en krabbelen, maar dat was niet wat ik hoorde. Het klonk als een kraan die niet goed is dichtgedraaid. Ik begon te lachen.

'Wat is er?'

'Pippin heeft op het tapijt geplast,' zei ik. 'Hij weet niet dat dat niet mag, snap je. Hij is maar een poes. Hij maakt ook vogeltjes dood en zit erop te kauwen in mijn slaapkamer, maar daarvan weet hij ook niet dat het niet mag.'

'Nee,' zei Susie.

'Nee. Ik weet het wel als ik iets stouts doe, want dan krijg ik hier een raar gevoel.' Ik legde mijn hand op mijn buik. 'En het is heel moeilijk. Zoals toen ik Benjy z'n nieuwe pen had gepikt waar echte inktpatronen in zitten, toen voelde ik dat en toen heb ik hem teruggelegd toen hij even niet keek.'

'Goed gedaan.'

'Ga ik dan nog wel naar dezelfde school?'

'Nee. Je mag helemaal overnieuw beginnen. Bof jij even.'

'En Tess dan? En juf Dawes? Juf Dawes vind ik lief.'

Susie zei niets.

'Papa zegt dat ik heel bijzonder ben.'

'Dat ben je ook.'

'Ik heb al m'n spullen bij me, toch? En ik heb Pippin.'

'Dat klopt,' zei ze, en ze pakte mijn handen weer beet.

'Ik zal het nooit vergeten.'

'Wat zul je nooit vergeten, Joey?' zei ze, en ze keek me strak aan.

'Kweenie,' zei ik.

Maar ik dacht: ik zal nooit vergeten dat papa bij mij op bed lag en verhaaltjes zomaar uit z'n hoofd vertelde, en ik vergeet nooit dat ik mee mocht in de vrachtwagen en dat ik me heel hoog en belangrijk voelde, en ik vergeet Minnie nooit en hoe hij me likte en dat z'n tongetje warm en ruw was. En ik vergeet Ali nooit want dat is m'n grote zus en zij zorgt voor me, en mammie want dat is mijn mammie en ze kan het niet helpen dat ze zich niet lekker voelt, en Stevie zal ik ook wel niet vergeten, ook al heeft Stevie geen woorden. En ik zal niet vergeten hoe het voelt als je op het dak zit buiten mijn slaapkamer en bang bent en blij tegelijk, als een rilling in mijn buik, en dat ik dan stevig mijn armen om me heen moet slaan. En dat ik door het gras kronkelde als een slang, en dat papa me kietelde en me door m'n haar streek en zei dat hij van mij het meest hield van alles op de hele wereld, en hinkelen met Tess, en lekker warme chocola drinken als het regent, en dan voelt het heel gezellig en veilig, en dat ik een keer met een zaklantaarn onder de dekens heb geschenen en dat het leek of alles gloeide, dus buiten was het donker maar binnen was alles van goud, mijn eigen koninkrijk waar ik de prinses was en niets was verdrietig en niemand werd ziek of schreeuwde of huilde en iedereen moest glimlachen en was dan blij.

'Je zal de goeie dingen niet vergeten,' zei Susie.

'Het zijn allemaal goeie dingen,' zei ik. 'Meer goeie dingen dan ik kan tellen. Bof ik even.'